손오공의 한자 대탐험

마법천자문

2 솟아라! 뿔 각

아울북

감수의 글

한자를 늘 접하는 저 같은 사람에게 요즘처럼 한자 교육에 대한 관심이 커지는 것은 반가운 일입니다. 그러나 지루한 암기 위주의 교육 방법이 도리어 한자에 대한 부정적인 인식만 키우는 것은 아닌지 걱정이 앞서기도 합니다.

이러한 현실에서 《마법천자문》의 출간은 매우 환영할 만한 일입니다. 우선 한자를 어린이들이 좋아하는 마법과 결합시킨 기획 아이디어가 돋보입니다.

그리고 그림(이미지)으로부터 비롯된 한자의 특성을 잘 살려서, 한자의 소리와 뜻과 모양을 한꺼번에 익히는 이미지 학습의 원리를 구현한 것도 뛰어납니다.

무엇보다도 어린이들에게 친근한 손오공의 좌충우돌 신나는 모험 이야기 속에서 한자를 재미있고 자연스럽게 익힐 수 있게 한 것이 이 책의 가장 큰 특징입니다. 한자 학습에 대한 긍정적인 경험은 어린이들이 앞으로 누가 시키지 않아도 한자를 스스로 공부할 수 있는 바탕을 마련해 줄 수 있기 때문입니다.

많은 어린이들이 이 책《마법천자문》을 통해 이러한 좋은 경험을 함께 만들었으면 좋겠습니다.

서울대학교 사범대학 중등교육연수원
중국어과 주임교수 김창환

이 책의 특징

1 **저절로 기억되는 한자 이미지 학습서**
— 한자의 뜻과 소리와 모양이 만화의 한 장면에서 이미지와 함께 저절로 기억되도록 구성하였습니다.

2 **암기 스트레스 없이 저절로 이루어지는 학습**
— 암기식 한자 학습을 극복하여 읽기만 해도 저절로 공부가 됩니다.

3 **한자 공부에 자신감을 주는 적절한 학습량**
— 한자능력검정시험에 나오는 한자 중 사용 빈도가 높은 한자를 뽑아 권당 20자씩 책으로 엮어 한자에 대한 자신감을 주고 원리를 이해하도록 구성하였습니다.

▶ 한자의 소리와 뜻과 모양을 마법이 펼쳐지는 장면에서 한 번에 익히기

4 **알찬 한자 공부를 위한 체계적인 학습 페이지**
— 각 장에서 새롭게 등장한 한자를 체계적으로 학습할 수 있도록 학습 페이지를 별도로 추가하였습니다.

한자의 모양, 소리, 뜻

한자능력검정시험 급수

한자의 유래

단어장

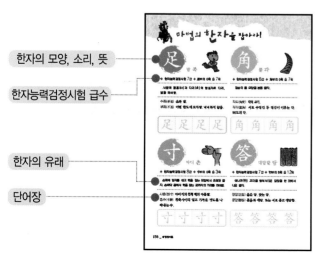

한자 퀴즈-초급

한자 퀴즈-중급

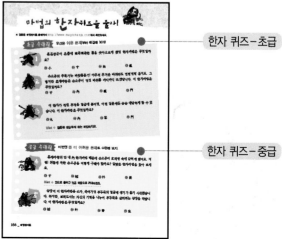

이 책에 나오는 한자

▶ 이 책에는 아래의 **20자**가 반복적으로 등장합니다.

한자능력검정시험 급수 **7급**
足
발 **족**　　17p, 29p, 156p

한자능력검정시험 급수 **6급**
角
뿔 **각**　　21p, 156p

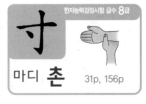
한자능력검정시험 급수 **8급**
寸
마디 **촌**　　31p, 156p

한자능력검정시험 급수 **7급**
答
대답할 **답**　　33p, 129p, 156p

한자능력검정시험 급수 **7급**
內
안 **내**　　46p, 49p, 157p

한자능력검정시험 급수 **8급**
外
바깥 **외**　　51p, 157p

한자능력검정시험 급수 **7급**
活
살 **활**　　56p, 157p

한자능력검정시험 급수 **8급**
生
날 **생**　　63p, 157p

한자능력검정시험 급수 **6급**
石
돌 **석**　　77p, 107p, 158p

한자능력검정시험 급수 **8급**
九
아홉 **구**　　80p, 158p

한자능력검정시험 급수 **8급**
白
흰 **백**　　88p, 112p, 158p

한자능력검정시험 급수 **7급**
電
번개 **전**　　91p, 150p, 158p

한자능력검정시험 급수 **5급**
魚
고기 **어**　　106p, 159p

한자능력검정시험 급수 **8급**
靑
푸를 **청**　　109p, 159p

한자능력검정시험 급수 **7급**
重
무거울 **중**　　122p, 159p

한자능력검정시험 급수 **3급**
貝
조개 **패**　　124p, 159p

한자능력검정시험 급수 **6급**
短
짧을 **단**　　132p, 160p

한자능력검정시험 급수 **8급**
長
길 **장**　　134p, 160p

한자능력검정시험 급수 **7급**
數
셀 **수**　　143p, 160p

한자능력검정시험 급수 **7급**
安
편안할 **안**　　152p, 160p

차 례

등장 인물

염라대왕

지옥을 다스리는 왕.
삶과 죽음이 기록된 생사부를 관리하며
손오공에게 여의필의 존재를 알려 준다.

손오공

화과산 원숭이족의 두목.
싸움과 승부밖에 모르는 것 같지만
자신의 부하인 부두목을 살리기 위해
최선을 다하는 의리파.

붉은뱀

구미호

한자마법을 통해 등장하는 괴물들. 무시무시한 모습으로 손오공을 위협한다.

아무나오지마

극락의 수문장

아무나와라

지옥의 수문장

너무나심심해

용궁의 수문장

손오공이 들어오는 것을 막으려고 하지만 손오공에게 당하기만 한다.

용왕

바다를 다스리는 왕.
속임수를 써 보지만 본의 아니게 손오공에게
여의필을 빌려 준다.

삼장

손오공과 함께 마법천자문의
비밀을 풀어 가는 여주인공.
부두목을 살리기 위해 자신의 기력까지
나눠 주는 마음씨 착한 소녀.

식인조개

식인어

한자마법을 통해 등장하는 괴물들. 무시무시한 모습으로 손오공을 위협한다.

혼세마왕

말세장군

혼돈장군

마법천자문 조각을 모으기 위해 나쁜 짓을 서슴지 않는 악당 무리들.
마법천자문을 두고 손오공과 일대 결전을 벌인다.

足 발족 ㅣ ㅁ ㅁ ㅁ ㅁ ㅁ 묘 足

제 **2** 장

너무나 강한

혼세마왕

혼돈장군이
혼이 나다니
예사 원숭이가
아니로군!

좋아 좋아!
아주 맘에 든다고.
화끈하게 한판 붙자!
크하하하하하.

찌릿

뒤에 있는 놈이
우두머리구나!

크하하하하.
이 몸으로 말할 것
같으면…

…….

寸 마디 촌 一 寸 寸

答 대답할 답

삼장도 그렇고… 그 조각 가지고 왜 이렇게 난리람? 뭣 때문인지 모르겠군.

모조리 다 모으면 비석이 재생됩니다.

마법천자문 비석만 다시 재생된다면, 우리 위대하신 대마왕…

좋아. 그럼 그 돌을 찾아서 어디다 쓸 건데?

돌아가 있어! 열려라! 문 문 門!

시시한 마법에 걸려서 나불대지 마라, 말세장군.

엥?

문 문 門 마법을!

으아아아~ 내 이야기 아직 안 끝났는데….

너무 심하게
다쳤다.

…….

그런 소리 말아요.
도사님이라면 어떻게든
할 수 있잖아요!

아무래도
며칠을 넘기기
힘들 것 같다.

음….

두목,
난 괜찮아.

내가 한번
해 볼게.

삼장!

부두목,
기운 내야 해.

알았지?

생명의 기운이여.
부두목을 살려다오!
살 **활** 活!

!

상처가
낫고 있어!

活 살 활 ` ` ` ` 氵 氵 氵 汗 汗 活 活 活

모르는 건
아니지만

그렇다고
가만히 보고 있을 수만은
없어요.

두목이 없는 동안
내가 잘 지켰어야 하는데….

음….

모두를 지키지
못해서 미안해, 두목.

이것 참…

그건 불가능해.

만약 그 책에
부두목의
이름이 있다면
찢어 버릴 거야.

그 책
어디 있어?

안 돼! 그런 엄청난 짓을
저지르면 큰일 나.

어디
있냐구?

지…지옥에….

지옥에
있어.

아무나
볼 수 있는 게 아니야.

지옥?

지옥이 뭐야?

어렵네!

여기가 지옥의 입구인가?

대문 참 엄청나게 크군.

끼이익

누구냐?

안 되지, 안 돼.

이 문은 아무나 함부로 여는 문이 아니다.

생사부를?
음… 그렇군. 알았다.

하하하

크크

어서옵~쇼…

하면서 문
열어 줄 줄 알았냐?

황당해서
웃음밖에
안 나오는군.

켁!

石 돌 석　一ナ丆石石

그런 허풍엔
절대 안 넘어가요.

그래? 맘대로 해라.
잡아먹혀도 난 모른다.

생사부를 지키는 수호령!
지옥의 붉은 뱀!

엥?

츄르르릅

쉭

이건 또 뭐야?

생사부에서 떨어져!

떡

떡

떡

호오.

여기까지 온 걸 보면

자신 있다는 얘긴데… 좋아.

좀 더 세게 몰아붙여 볼까?

하얘져라! 흰 백白!

白 흰백 ´ ⼁ 白 白 白

으으으….

털썩

내 말 잘 들어라, 손오공.

생사부에 올려져 있는
이름과 수명은

이미 정해진 것이라
함부로 바꿀 수가 없다.

손오공이 하늘에서 보낸 몇 시간이

부두목에겐 마지막 며칠이 된 거지.

어찌 됐건 곧 돌아올 테니 같이 기다려 보자꾸나.

손오공이 용왕에게 여의필을 빌려 올 수 있을지 어떨지를.

여, 여의필을요?

그렇게 엄청난 걸 용왕님이 빌려 주실 리가!

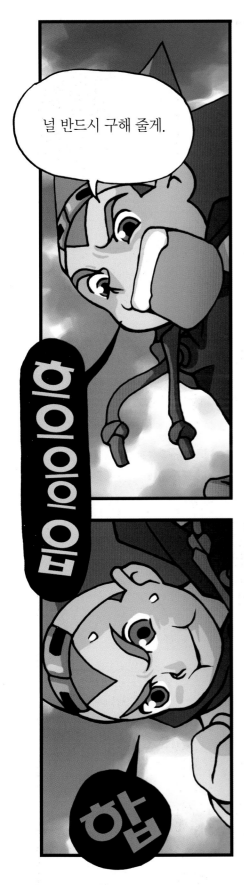

널 반드시 구해 줄게.

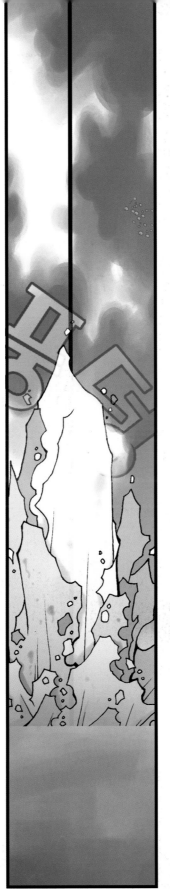

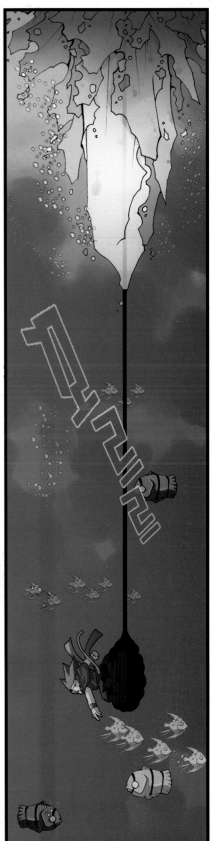

지금 무지하게
급하니까.

당장 용왕을
만나게 해 줘.

뭐라는 거야?

말을 해, 말을.

비켜!

뭣이? 비켜?

물 좀 먹어야
정신을 차리겠군!

이놈,
겁이 없구나.

나는
용궁의 수문장
'너무나심심해' 다!

각오해라!

나와라!
돌 석石!

이거나 먹어라!

방해 말고
여의필이나 내놔!

여, 여, 여의필을?

너 지금
여의필이라고
했냐?

그래, 여의필이
필요하니까

방금 들었냐?

세상 오래 살다
볼 일이군.

저 원숭이가
여의필을…

황당하군.

날 용왕에게
당장 안내해!

겁을 줘서 쫓으려
했다만, 여의필을
입에 담은 이상

어림없다!

빠르다 뿐인가?

바닷물 색과 똑같아진
비늘 색 때문에

바닷속에서
구분하기 힘들걸!

사, 사라진 건가?

白 흰 백　丿 亻 白 白 白

重 무거울 중

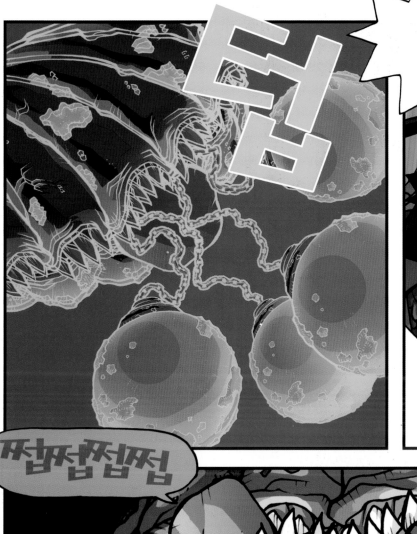

작전 성공!

잡았다, 요놈!

말도 일부러
느리게 하고,

말도 많이 시켰지.

꽤 오래 참아 냈다만
영원히 숨을 안 쉴 수는
없는 법이지.

자, 잠깐만!

잠깐만 있어 봐!

으헤헤헥!

으르렁.

사, 살려 줘!

그러니까 분명히 이 안에 여의필이 있다, 이거지?

사실이지?

넵, 바로 이겁니다.

네, 이 안에 분명히 있습니다.

손오공님 바로 뒤에 있습니다.

붓 같은 건 없는데.

어디 있다고 거짓말 하는 거야?

엥?

이거야?

어디 보자.

허참,
당돌한 녀석일세.

지금 당장 갈 테니,
꼼짝 말고 기다려요.
- 손오공 -

손오공이 여의필을
빌리는 데 성공했나 봐요.

그렇지만….

그 시각 용궁

으아아아아…
분하다 분해.
내 손으로 여의필을
갖다 바치다니.

크아아아아

툭

그것도
원숭이 녀석한테!

數 셀 수 　ノ 口 罒 罒 罘 畳 畳 畳 婁 婁 婁 數 數 數

어라?

왜 부두목의 이름에
빨간 줄이 그어져 있는 거지?

손오공.
부두목은 이미….

죽었다.

이틀 전에.

난…

인정 못 해….

인정할 수 없어….

용서 못 해!

편안할 **안** 安

한자마법으로 누를 수 있는 분노가 아니다.

손오공과 염라대왕의 대결! 그리고 여의필의 정체는! 3권에서 계속

마법의 한자를 잡아라!

足 발족

+ 한자능력검정시험 7급 + 足부의 0획 총 7획

사람의 몸통〔口〕과 다리〔止〕의 합성자로 다리, 발을 의미함.

수족(手足) 손과 발.
부족(不足) 어떤 한도에 모자람. 넉넉하지 않음.

角 뿔각

+ 한자능력검정시험 6급 + 角부의 0획 총 7획

짐승의 뿔 모양을 본뜬 글자.

각도(角度) 각의 크기.
직각(直角) 서로 수직인 두 직선이 이루는 각. 90도의 각.

寸 마디촌

+ 한자능력검정시험 8급 + 寸부의 0획 총 3획

손목에 엄지를 대고 맥을 짚는 모양에서 유래된 글자. 손바닥 끝에서 맥을 짚는 곳까지의 거리를 의미함.

사촌(四寸) 아버지의 친형제의 아들딸.
촌수(寸數) 친족 사이의 멀고 가까운 정도를 나타내는 수.

答 대답할답

+ 한자능력검정시험 7급 + 竹부의 6획 총 12획

대나무〔竹〕 조각을 합쳐서〔合〕 답장을 한 것에서 나온 글자.

정답(正答) 옳은 답. 맞는 답.
문답(問答) 물음과 대답. 또는 서로 묻고 대답함.

內
안 내

+ 한자능력검정시험 7급 + 入부의 2획 총 4획

집(冂) 안으로 들어간다(入)는 뜻에서 유래된 글자.

내외(內外) 안과 밖.
교내(校內) 학교 안.

| 內 | 內 | 內 | 內 |

外
바깥 외

+ 한자능력검정시험 8급 + 夕부의 2획 총 5획

저녁(夕)에 점(卜)을 치는 것은 예외적이라는 뜻에서, '벗어나다, 밖'의 의미를 나타냄.

해외(海外) 바다 바깥의 다른 나라. 곧 외국.
외국(外國) 자기 나라 외의 다른 나라.

| 外 | 外 | 外 | 外 |

活
살 활

+ 한자능력검정시험 7급 + 氵부의 6획 총 9획

유창하게 말(舌)하는 모습이 물(氵) 흐르는 것 같다는 뜻에서 유래된 글자.

생활(生活) 살아서 활동함. 생계를 유지하여 살아감.
활동(活動) 힘차게 몸을 움직임.

| 活 | 活 | 活 | 活 |

生
날 생

+ 한자능력검정시험 8급 + 生부의 0획 총 5획

흙(土) 위에 새싹이 나온 모양을 본뜬 글자.

생일(生日) 태어난 날. 탄생일.
생명(生命) 생물이 살아서 숨쉬고 활동하게 하는 근원적인 힘. 목숨.

| 生 | 生 | 生 | 生 |

 마법의 한자를 잡아라!

石
돌 석

+ 한자능력검정시험 **6급** + 石부의 0획 총 **5획**

언덕〔厂〕밑에 한 덩어리의 돌〔口〕이 놓여 있는 모양을 본뜬 글자.

석유(石油) 천연으로 지하에서 나는 검은 액체.
대리석(大理石) 석회암이 높은 열과 압력을 받아 굳어진 암석.

| 石 | 石 | 石 | 石 |

九
아홉 구

+ 한자능력검정시험 **8급** + 乙부의 1획 총 **2획**

원래는 사람의 팔꿈치 모양을 본떴는데, 뜻이 바뀌어 숫자 9를 의미하는 글자가 됨.

구구단(九九段) 곱셈에 쓰는 기초 공식.
십중팔구(十中八九) 열 가운데 여덟, 아홉이 그러하다는 뜻. 거의 틀림없다는 말.

| 九 | 九 | 九 | 九 |

白
흰 백

+ 한자능력검정시험 **8급** + 白부의 0획 총 **5획**

빛〔日〕이 위〔丿〕로 비추고 있는 형태를 본뜬 글자.

백색(白色) 하얀 빛깔. 하얀 색.
백호(白虎) 하얀색 털을 가진 호랑이로 예로부터 신성히 여기는 동물임.

| 白 | 白 | 白 | 白 |

電
번개 전

+ 한자능력검정시험 **7급** + 雨부의 5획 총 **13획**

번개 칠 때의 섬광을 뜻하는 〔申〕과 비 우〔雨〕가 결합되어 번개를 의미함.

전기(電氣) 전등이나 전자제품, TV 등을 작동시키는 에너지.
전철(電鐵) 전기를 동력으로 쓰는 철도.

| 電 | 電 | 電 | 電 |

魚

고기 **어**

+ 한자능력검정시험 **5급** + 魚부의 0획 총 **11획**

물고기의 모양을 본뜬 글자로, '물고기'를 나타냄.

대어(大魚) 큰 물고기.
어시장(魚市場) 생선이나 조개류 등을 거래하는 시장.

魚	魚	魚	魚

靑

푸를 **청**

+ 한자능력검정시험 **8급** + 靑부의 0획 총 **8획**

풀이 생겨날(生) 때의 색깔(丹), 즉 푸른색의 뜻을 나타냄.

청산(靑山) 초목이 우거진 푸른 산.
청소년(靑少年) 소년기에서 청년기로 접어드는 젊은이.

靑	靑	靑	靑

重

무거울 **중**

+ 한자능력검정시험 **7급** + 里부의 2획 총 **9획**

사람이 큰 자루를 멘 모습에서 '무겁다'의 의미가 유래됨.

중요(重要)**하다** 소중하다는 뜻.
중량(重量) 무게.

重	重	重	重

貝

조개 **패**

+ 한자능력검정시험 **3급** + 貝부의 0획 총 **7획**

조개의 모양을 본뜬 글자로, 아주 먼 옛날에는 조개를 돈으로 사용하기도 하였음.

어패류(魚貝類) 식품으로 쓰이는 생선과 조개 종류를 통틀어 이르는 말.
패물(貝物) 산호나 호박, 수정 따위로 만든 물건.

貝	貝	貝	貝

 마법의 한자를 잡아라!

短

짧을 **단**

+ 한자능력검정시험 **6급** + 矢부의 7획 총 **12획**

사람의 팔다리 모양을 본뜬 矢와 높이가 낮은 나무 그릇인 묘가 합쳐진 글자로, 사람의 키가 '작다'라는 의미를 가짐.

단거리(短距離) 짧은 거리.
장단(長短) 길고 짧음. 장점과 단점.

長

길 **장**

+ 한자능력검정시험 **8급** + 長부의 0획 총 **8획**

머리털이 긴 노인이 지팡이를 짚고 서 있는 모양을 본뜬 글자로, '길다'는 뜻을 나타냄.

장남(長男) 맏아들.
장점(長點) 가장 나은(좋은) 점.

數

셀 **수**

+ 한자능력검정시험 **7급** + 攵부의 11획 총 **15획**

끊이지 않고 계속된다(婁)와 치다(攵)의 뜻이 합쳐져서 '계속해서 치다, 숫자를 세다'의 의미가 유래됨.

수학(數學) 수량 및 도형의 성질이나 관계를 연구하는 학문.
권수(卷數) 책의 수효.

安

편안할 **안**

+ 한자능력검정시험 **7급** + 宀부의 3획 총 **6획**

집 안에 여자가 차분히 앉아 있는 모습에서 '편안하다, 안전하다'의 의미가 유래됨.

안전(安全) 위험하지 않음. 위험이 없음.
안녕(安寧) 만나거나 헤어질 때의 인사말.

	뜻	소리	급수	첫 등장		뜻	소리	급수	첫 등장
大	큰	대	8급	1권	門	문	문	8급	1권
小	작을	소	8급	1권	手	손	수	7급	1권

달라진 부분을 찾아라!

손오공이 무슨 일인지 급하게 용궁으로 갑니다. 무슨 일일까요? 그런데 문이 굳게 닫혀 있어요. 문을 열려면 위아래의 그림에서 서로 다른 부분을 찾아야 한대요. 다른 부분 7군데를 찾아서 손오공이 문을 열 수 있도록 도와주세요. 단, 말풍선 대사 부분은 제외랍니다!

지옥의 수문장 '아무나와라'가 무척 화가 난 모양이에요. 돌 석 石 마법을 썼네요. 지옥문에 들어가려면 두 그림에서 서로 다른 부분을 찾아야 해요. 아래의 그림에서 위의 그림과 다른 부분 5군데를 찾아서 손오 공이 지옥 안으로 들어갈 수 있게 도와 주세요. 단, 말풍선 대사 부분은 빼고요!

※ 정답은 마법천자문 홈페이지 magichanja.book21.com에서 확인하세요.

내가 만드는 마법천자문

손오공의 천적 혼세마왕이 오공이한테 뭐라고 하는군요. 불같이 화를 내는 우리의 오공, 과연 이유가 뭘까요? 빈 말풍선에 대사를 써 넣어서 나만의 마법천자문을 완성해 보세요.

마법의 한자를 낚아라!

1. 石 자가 쓰인 낱말 두 개를 건져 보세요.

암석

너석

방석

화석

추석

Hint ✚ 石 자는 '돌'이라는 뜻이에요.

2. 白 자가 쓰인 낱말 두 개를 건져 보세요.

고백

핸드백

백인

백발

기백

Hint ✚ 白 자는 '하얗다'는 뜻이에요.

3. 安 자가 쓰인 낱말 세 개를 건져 보세요.

안과

안전

불안

안녕

안경

Hint ✚ 安 자는 '편하다'는 뜻이에요.

※ 정답은 마법천자문 홈페이지 magichanja.book21.com에서 확인하세요.

마법의 한자 퀴즈를 풀자!

※ 정답은 마법천자문 홈페이지 magichanja.book21.com에서 확인하세요.

초급 수련원 우선은 **쉬운 문제**부터 해결해 보자!

1 혼돈장군이 온몸에 뾰족뾰족한 뿔을 솟아오르게 했던 한자마법은 무엇일까요?

① 小　　　　② 寸　　　　③ 角　　　　④ 重

2 손오공의 주특기는 바윗돌 들기! 아무리 무거운 바위라도 번쩍번쩍 들지요. 그렇지만 혼세마왕은 손오공이 던진 바위를 마디마디 쪼갰답니다. 이 한자마법은 무엇일까요?

① 寸　　　　② 內　　　　③ 重　　　　④ 門

3 이 한자가 적힌 부적을 얼굴에 붙이면, 어떤 질문에든 술술 대답하게 할 수 있습니다. 이 한자마법은 무엇일까요?

① 九　　　　② 內　　　　③ 答　　　　④ 門

Hint ✚ 질문에 대답하게 하는 한자마법이지요.

중급 수련원 이번엔 **좀 더 어려운 문제**로 수련해 보자.

4 혼세마왕이 부린 '안 내 內' 한자마법 때문에 손오공이 호리병 속에 갇히게 됐어요. 저런! 위험에 처한 손오공을 어떻게 구해야 할까요? 알맞은 한자마법을 찾아 보세요.

① 寸　　　　② 短　　　　③ 外　　　　④ 長

Hint ✚ 안으로 들어간 것은 바깥으로 꺼내야겠죠.

5 삼장이 이 한자마법을 쓰자, 죽어 가던 부두목의 얼굴에 생기가 돌기 시작했습니다. 하지만, 보리도사는 자신의 기력을 나누어 부두목을 살리려는 삼장을 막습니다. 삼장이 사용한 한자마법은 무엇일까요?

① 活　　　　② 外　　　　③ 靑　　　　④ 生

용궁의 수문장은 이 한자마법으로 이빨이 무시무시하게 생긴 식인어를 불러냅니다. 이 한자마법은 무엇일까요?

❶ 貝   ❷ 石   ❸ 角   ❹ 魚

Hint ✚ 식인어도 물고기랍니다.

바닷속과 아주 비슷한 색깔을 만들어 내는 한자마법입니다. 손오공과 대결하던 식인어가 이 한자마법을 부려 숨자, 손오공은 잠시 동안 공격을 하지 못하게 됩니다. 이 한자마법은 무엇일까요?

❶ 靑   ❷ 白   ❸ 晴   ❹ 長

Hint ✚ 바다뿐 아니라, 하늘도 이 색깔이에요.

여의필의 길이는 어떤 한자마법을 쓰느냐에 따라 자유자재로 조절됩니다. ( ) 한자마법을 쓰면 길어지고, ( ) 한자마법을 쓰면 한 손에 잡기 편하도록 조그맣게 줄어듭니다.

고급 수련원   이번 관문을 통과하면 **한자마법 고수**로 인정하노라!

( ) 안에는 어떤 한자마법을 써야 할까요? 다음에서 골라 보세요.

부두목을 살리기 위해 지옥까지 찾아간 손오공의 특명은 생사부를 찾아라! 손오공은 지옥문 앞에서부터 강적을 만나게 되는데, 그는 지옥의 수문장 '아무나와라' 입니다. 수문장의 주특기는 돌을 비처럼 우수수 떨어지게 하는 ( ) 한자마법입니다. 오공이는 쏟아지는 돌들을 ( ) 한자마법으로 작게 줄여 방어를 해냅니다. 으하하! 마침내 ( ) 한자마법으로 구미호까지 불러낸 수문장을 주먹 한 방으로 무찌릅니다!

| 보기 | 石 | 安 | 小 | 九 | 生 |

TV 애니메이션
마법천자문 2 본·방·사·수!

2015년 8월부터 TV 방영 중! 많은 시청 바랍니다!

HD Full 3D TV 애니메이션

마법천자문

마법천자문 키즈 테마파크

놀면서 배우는 한자체험 테마파크

다양한 놀이 시설과 매월 새로운 체험 프로그램을 즐기자!

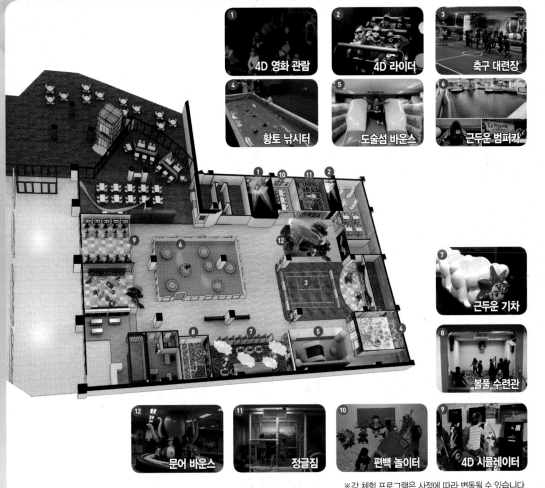

1. 4D 영화 관람
2. 4D 라이더
3. 축구 대련장
4. 황토 낚시터
5. 도술섬 바운스
6. 근두운 범퍼카
7. 근두운 기차
8. 볼풀 수련관
9. 4D 시뮬레이터
10. 편백 놀이터
11. 정글짐
12. 문어 바운스

※각 체험 프로그램은 사정에 따라 변동될 수 있습니다.

테마파크 이용 안내

- 입장 시간 10:00 ~ 20:00 (입장 마감 19:00)
- 이용 요금

	2시간제	자유이용권
평일	12,000원	18,000원
주말 및 공휴일	12,000원	20,000원

※어른 5,000원 (어린이 입장 시 보호자가 동반 입장하셔야 합니다.)
※외출 후 재입장 불가

- 생일 파티 및 보육기관 단체는 사전 예약 문의 바랍니다.

- 모바일 홈페이지 magichanja.forkids.kr
- 주소
  – 경기도 고양시 일산 서구 일현로 97-11 (탄현동 1640번지) 두산위브더제니스 B2
  – 지하철 : 경의선 탄현역 2번 출구
  – 연락처 : 031)924-5059 (1599-5074)

문제 3/5 ⏱ 10

한 일. 맞니?

➥ 답 고르기

마법천자문 퀴즈

꽃이 한 송이 있어요.

필수 한자 알림

마법천자문 테마파크

유예슬
Lv.30

START!

마법천자문 런닝맨 게임

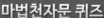

손오공의 한자 대탐험

마법천자문

② 솟아라! 뽈각

글·그림 스튜디오 시리얼
감수 김창환

1판 1쇄 인쇄 | 2003년 11월 11일
1판 244쇄 발행 | 2015년 10월 19일

펴낸이 | 김영곤
기획개발팀장 | 은지영   **기획개발** | 장영옥 허범석 노지연
영업마케팅팀장 | 이희영   **영업마케팅** | 장명우 오하나 김창훈
라이선스 | 허동준 임동렬
북디자인 | 양설희 design86 이기쁨

펴낸곳 | (주)북이십일 아울북
등록번호 | 제10-1965호
등록일자 | 2000년 5월 6일
주소 | 경기도 파주시 회동길 201(문발동) (10881)
전화 | 031-955-2198(기획개발), 031-955-2100 (마케팅·영업·독자문의)
브랜드 사업 문의 | 031-955-2160 license21@book21.co.kr
팩시밀리 | 031-955-2421
홈페이지 | magichanja.com

ISBN 978-89-509-3601-3
ISBN 978-89-509-3620-4(세트)